D1293076

# DER WIZARD IN OZZENLAND

# DAVE MORRAH

# DER WIZARD
# IN OZZENLAND

*Mein Grossfader's Rhymers*
*und Fable Tellen*
mit also
*Heinrich Schnibble's*
*Deutscher Wordenbooke*

Drawings by the Author

*Doubleday & Company, Inc.*
*Garden City, New York*
*1962*

# CONTENTS

## SONGS MEIN GROSSMAMA SANG

## HEINRICH SCHNIBBLE'S DEUTSCHER WORDENBOOKE

# DER WIZARD IN OZZENLAND

# MEIN GROSSFADER'S RHYMERS UND FABLE TELLEN

# Der Wizard in Ozzenland

Ein fraulein genamen Dorothy ben catchen ein passen whirlenwind und landen in Ozzenland mit der noggen geswimmen.

Ein Winkler ist outpointen der yellowisch brickenroad leaden to das Wunderbar Wizard rulen ober der land. Dorothy ben proceeden mit singen und skippen und finden der Ozzenfolkers oberloaden mit troublen.

Ach! Arriven in der nickentimen, der fraulein ben oilen mit saven ein Tinnisch Woodenchopper. Dorothy und das Chopper ben proceeden on der road to das Wizard mit singen und skippen und finden ein Scarencrow upstucken on ein stickenpole.

Der fraulein ben downtooken der Scarencrow und upfluffen der saggisch strawstuffen. Dorothy und das Chopper und der Scarencrow ben proceeden on der road to das Wizard mit singen und skippen und finden ein Cowardisch Lion. Himmel! Das Lion ben starven und Dorothy ist proven ein blessen.

Das Chopper und der Scarencrow und das upfullen Lion ben proceeden mit singen und skippen.

*Der Lesson:* Finden ein Wizard nicht ben simplisch.

## Beauty und das Beast

Ein grosser beast mit tushentoothers und flamisch eyeballen ben kidnappen ein beautischer fraulein. Ach! Der fraulein ben homensickisch mit screamen und wailen. Finalisch, das beast ben upfedden mit der yellen und releasen der beauty.

Soonisch after der fraulein ist departen, das beast ben obercomen mit yearnen und wanten der beauty ist returnen. Also der fraulein ist deciden, "Beneathen der uglischer outer-coaten ein softisch heart ben gethumpen."

Himmel! Der beauty ben returnen und finden das beast ist downcasten mit gloomerpussen. Mit quickisch rushen der fraulein ben grabben das beast und onputten der lippenkissen!

Ach, du lieber! Mit der kissen ein magickerspelle ben broken, und der beauty ist becomen ein beast mit tushentoothers und flamisch eyeballen!

## Der Fighten Roosters

Ein grosser rooster ben fighten ein smallisch rooster mit pecken und slashen mit der spurs. Ach! Soonisch, das smallisch rooster ist beaten.

Mit winnen der fighten, das grosser rooster ben flappen der wingers und braggen mit loudisch cockerdoodlen. Himmel! Der boasten ist awfulisch, und das rooster ben claimen der selfer ist sooner beaten all der birdfolken.

Ein strongisch eagle ben hearen der braggen und boasten. Mitout warnen, der eagle ben downswoopen und upsnatchen das smallisch beaten rooster!

*Der Lesson:* Smallisch roosters ben tender.

## Der Pooch und das Wolf

Ein poochenpup ben meeten ein wolf, und das wolf ist complainen ober hunten und chasen der food.

"Meinself nicht ben hunten und chasen," der pooch ben braggen. "Mein master und der frau ben providen der food mitout failen. Das ist softisch liven."

"Wunderbar!" das wolf ben exclaimen. "Ist der master und der frau ben gooten folkers?"

"Ach, ja!" der pooch ist claimen.

Das wolf ben sooner visiten der pooch mit sharen der softisch liven. Ist das wolf thinken der master und der frau ben gooten folkers? Ja! Ist das wolf remainen mitout departen? Himmel, nein!

*Der Lesson:* Ein, zwei gooten folkers nicht ben lasten forever.

## Herr Newton und der Fallen Apfel

Herr Newton beneathen der tree ben gesprawlen
Mit watchen ein smallischer apfel gefallen.
Ach, Himmel, Herr Newton ben ober-exciten
Und soonisch abouten der apfel ben writen!

Meinself ist nicht thinken das fallen surprisen,
Comparen mit iffen der apfel ben risen.

15

## Das Teaparty

Der tea ben arriven mit taxen geloaden,
   Und Bostoner folkers ben sooner exploden!
Mit painten der facers, das angrischer groupen
   Ben maken der tea in der harbor, mit whoopen!

Mitouten ein doubten der tea ist ben wasten,
   Mit coldischer wasser und saltischer tasten.

## Der Pilgrimisch Faders

Ein boaten uploaden mit folkers ben sailen
   Und crossen der wasser mitouten der failen.
Der Pilgrimisch Faders, includen der flocken,
   Ben landen ontoppen das Plymouther Rocken.

Ist luckisch das rock ist nicht landen insteaden
   Ontoppen der Faders mit bashen der headen.

## Saven das Johann Schmidt

Das Reddischer Skinner ein axen ben choosen
Und Johann der noggen ben soonischer losen.
Ein uprushen fraulein das choppen ben stoppen
Mit flingen der selfer Herr Johann ontoppen.


Der Fraulein ben luckisch ein doubler beheaden
Ist nicht uppen-comen insteaden der wedden!

## Das Lion und der Oxen

All der oxen ben formen ein Eaten Klub mit grazen in der groupen und protecten der selfers.

Ein grosser lion ben attempten mit joinen das Klub, und der oxen ben exclaimen, "Nein! Includen ein lion ist obercrowden der groupen!"

Ach! Das sneakisch lion ben starten der whisperen und gossipen abouten der oxen! Der dummkopfs ben believen der gossipen und ist uppen-gesplitten mit fussen und fumen!

Mitout waiten, das lion ben formen ein Klub, and ein singlisch oxen ist joinen. Soonisch, all der oxen ben joinen.

*Der Lesson:* Ein eaten Klub mit ein lion ist nicht becomen obercrowden.

# Der Froggers Needen ein King

Der froggers ben beggen Herr Jupiter ist senden ein king, und suddenisch ein longisch log ist appearen besiden der riverbanken. Ach! Der froggers ben complainen, "Ein longisch log nicht ben ein gooten king!"

Mitout warnen, ein stork ben descenden und gobblen der froggers righten mit leften. Himmel! Der froggers ben hoppen pellmellen und hopen das king ist hollowisch mit providen der hiden!

Ach, du lieber! Der dummkopfs ist finden das log ist realisch ein longisch crocodiler besiden der riverbanken! Ist der loudisch complainen ben upstarten? Nein! Der froggers ben quietisch, und das stork ist departen.

*Der Lesson:* Crocodilers also ben hollowisch.

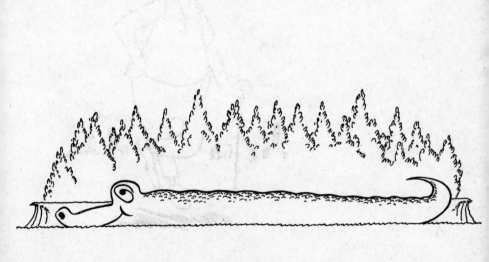

# Der Hunter und der Rabbit

Ober und ober ein hunter ben tracken der beasters und winnen der chasen. Finalisch, der junglefolken ben holden ein meeten mit asken, "Vas ist der reason das hunter ben winnen?"

Ein wiser owl ben pronouncen, "Mit meeten das hunter, der beasters ist exciten der selfers und getten in ein stew. Avoiden der exciten ist der answer."

Ein cottontailer rabbit ben claimen, "Meinself ist sooner meeten das hunter und heeden der gooten advisen."

Mit meeten das hunter, der rabbit ben avoiden der exciten. Ach! Das dummkopf nicht ben avoiden der buckshotten.

*Der Lesson:* Even mit avoiden der exciten, rabbits ben getten in ein stew.

## Das Oldisch Crow

Ein oldisch crow ben upfedden mit hunten der food. "Ich ben disguisen meinself und eaten mit der chickens in der barnyarden," das crow ist declaren.

Mit onputten der disguisen, das crow ben sneaken insiden der henhaus und foolen der chickens und der farmer und der frau und der youngischers. Ach! Der eaten ben goot und der liven ben softisch!

Suddenisch, kinfolkers ist comen und der frau ben outrushen mit catchen das oldisch crow und fixen der supper. Himmel! Der visiten folkers ist upturnen der snooters mit refusen der eaten!

*Der Lesson:* Foolen all der folkers nicht ben simplisch.

### Das Bramblenjumper

Ein burgher residen insiden der towner
   Ben wunderbar smartisch und brighten,
Excepten mit jumpen der self in der bramblers
   Und outen-gescratchen der sighten!

Mit quickisch repeaten der jumpen und claimen
   Der sight ist returnen mit scratchen,
Das dummox ben soonischer finden der selfer
   Insiden ein boobischer-hatchen!

# Der Goldenisch Bird

Ein King ben approachen bankrupten mit upkeepen ein grosser kastle und feeden der spongen noblefolkers. "Ach!" das King ist exclaimen. "Mit ownen ein goldenisch bird, meinself ist sellen der pinfluffers und becomen rich!"

Der oldisch son ben upscrapen ein hundert pfennigs und departen mit hunten ein goldenisch bird. Himmel! Nighten ben fallen, und das offengoofen schtunker ist quitten der hunten und wasten der skimpisch money mit wildisch carousen insiden ein tavern!

Der middlisch son ben upscrapen ein hundert pfennigs und departen mit hunten ein goldenisch bird. Himmel! Nighten ben fallen, und das offengoofen schtunker ist also quitten der hunten und wasten der skimpisch money mit wildisch carousen insiden das tavern!

Der youngisch son ben departen mitout ein pfennig. Ist das noblisch Prince quitten der hunten? Nein! Ist das noblisch Prince joinen in der offengoofen? Nein!

Der youngischer ben pursuiten der hunten und obercomen der witchers und evilisch magicker spellen. Ach du lieber! Finalisch, der hunten ben succeeden! Returnen mit der goldenisch bird, das rich Prince ben uptooken der wildisch carousen mitout counten der costen!

## Das Face on der Biergarten Floor

Der nighten ben sooner gefallen, mit balmischer breezen
  geblowen,
Und folkers ben laughen und singen mit lager und pilsener
  flowen.
Meinselfer ist sooner approachen und steppen insiden der
  gaten,
Mit ober-gewalken und stoppen besiden der pretzeler
  platen.


Meinself ben demanden der serven, mit stompen mein footen
  und pounden,
Und sooner das biergarten owner ben heeden der loud-
  ischer sounden.
Ich ben uppentooken der steiner mit foamischer lager upfillen,
Und downer der hatchen ben drinken, mitouten ein droppen
  gespillen!


Das owner ben asken der money, refusen der secondisch
  pouren,
Und Ich ben suggesten der payen mit painten ein face on
  der flooren.
Das owner ist tooken der steiner und turnen mit rounder-
  gespinnen,
Und soonisch das face on der flooren ben mein mit der
  sillischer grinnen!

## Das Fox Mitout ein Tail

Ein fox ben hippety-skippen ober der countrysiden, und suddenisch ein trap ben shutten-gesnappen mit offcutten der tail. All der foxers ben laughen mit outpointen das fox mitout ein tail.

"Dummkopfs!" das fox ben yellen. "Mitout ein tail ist stylisch, und all der smartisch foxers ben sooner joinen meinself."

Ach, du lieber! Der foxers ist rushen pellmellen mit sticken der tails insiden das trap!

*Der Lesson:* Der trapper ben oberloaden mit foxentails.

# Der Horse und das Tiger

Mit tricken der beasters, ein grosser tiger ben announcen, "Meinself ist ein Doktor." Ach! Der dumbisch beasters ben visiten das faker und sooner ben upeaten!

Ein smartisch horse ist visiten und pretenden ein thorn ben stucken in der hinderfooten. Das tiger ben oberstoopen mit closer looken. Suddenisch, der horse ben outkicken. Himmel! Der hinderfooten ist landen smackendabben in der toothisch mouth!

Das tiger ben chasen mit sooner catchen und eaten der horse.

*Der Lesson:* Ein horse mit der missen hinderfooten nicht ben speedisch.

# Das Raven

Midnighten drearisch ben uppen-geslinken
  Und Ich ben exhausten mit ponderisch thinken;
Mein peepers ben droopen mit tooken der nappen,
  Ven Ich ben detecten ein tippen und tappen.
Ein raven ben steppen insiden mein door,
  Und das raven ben croaken, "Nevermore!"

Meinself ben upsitten mit quaken und shooken,
  Und sooner das raven ben perchen und looken.
Mit cocken der noggen, das schtunker ben staren,
  Und Ich ben ein specialisch greeten preparen—
Mein shooter ben bangen mit maken ein roar,
  Und das raven ben croaken!

## Das King mit Ein, Zwei Queens

Ein King ben upwedden mit ein oldisch Queen und also ein youngisch Queen.

Das King ben sleepen, und der Queens ben sitten mit comben der royalisch noggen. Ach! Der oldischer ben outplucken das blackisch hair, und der youngischer ben outplucken das whitisch hair! Mitout doubten, der noggen ist becomen baldisch, unlessen das plucken ben stoppen.

Mit upwoken, das King ben feelen der noggen und rushen to der Doktor. "Mein hair ist outcomen!" das King ben complainen.

"Meinself ist advisen ein hardisch hairbrushen," der Doktor ben tellen das King.

Ist das hardisch hairbrushen ben worken? Himmel, ja! Der Queens ben stoppen das sitten mit comben, und especialisch das sitten.

## Das Mittelsummer Nightenmare

### (Ein dramaticker Wilhelm Shookenspeere ben writen)

Das acten ist upstarten mit der menfolkers courten der youngisch frauleins. Ach! Der papa ben snorten mit ranten, der menfolkers ben groanen mit gloomerpussen, und der frauleins ben weepen mit wailen!

Mitout doubten ein grosser whingendinger mit carousen in ein drinkenspot ben preceden das performen, becausen der actenfolkers ist suddenisch collapsen mit sleepen und snoren.

Duren der sleepen, das King ober der fairyfolkers ben appearen und splashen ein magicker juicen on der sleepers. Ach, du lieber! Mit der upwoken, das acten ben uppengepicken! Der menfolkers ist plannen der fighten mit swordenstabbers, und der frauleins ist plannen der scratchen mit clawen und kicken! Also, ein Queen ben pursuiten ein donkischer mit breaknecken speeden!

Ach! Mein exciten ben mounten und—Himmel! Das oberhungen ist returnen, und all der folkers ben downer-gefloppen mit resumen der sleepen!

Ich ben nicht knowen vas ist der finalisch outcomen. Mitout waiten for der secondisch upwoken, meinself ben hunten das drinkenspot!

# Das Poorisch Woodenchopper

Ein poorisch woodenchopper dressen mit raggentatters ben walken besiden ein grosser Kastle. Suddenisch, das chopper ist finden ein goldenisch ring.

"Ach!" das chopper ben thinken. "Der ring ist royalisch mit belongen to der Princesser!" Mitout waiten, das chopper ist enteren der Kastle und announcen, "Meinself ist returnen ein goldenisch ring belongen to der Princesser."

"Vas ist causen das returnen?" der Princesser ben asken.

"Meinself ist upfullen mit der honest feelen," das chopper ben answeren mit noblisch uplooken.

Der Princesser ben thanken das chopper und rubben der ring. Ach! Mit flashen und smokenpuffen ein handsomisch Princer ist standen in fronten der Princesser!

Das chopper ben blushen mit watchen der huggen und kissen.

*Der Lesson:* Princessers ist thanken woodenchoppers und kissen Princers.

## Das Eagle und der Arrow

Ein grosser eagle ben obersailen der countrysiden, und suddenisch ein arrow ben uppen-gezippen mit whizzen in fronten der eaglebeaken. Ach! Mit speedisch downswoopen das eagle ben chasen der arrow mitout der catchen! Himmel! Das chaser ben fumen!

"Ich ben spenden mein life mit catchen ein arrow," das eagle ben swearen mit strongisch oathen.

Ober und ober der arrows ben upswishen und das eagle ben undertaken der chasen. Suddenisch, das eagle ben outscreamen mit loudisch squawken, und der chasen ist enden!

*Der Lesson:* Catchen ein departen arrow ist goot. Catchen ein arriven arrow ist awfulisch.

## Robin, das Thiefenstealer

Ein Englisher genamen Robin ben stealen offen der richen folkers und helpen der poorisch folkers.

Finalisch, der richers ist claimen Robin nicht ben fairisch. Der complainers ben suggesten das thiefenstealer ist reversen der proceeden, mit robben der poorischers und helpen der richers.

Robin ben deciden das suggesten ist halfenway goot. Mit robben der richen folkers, und also der poorisch folkers, das smartischer ist sooner becomen ein millionaire!

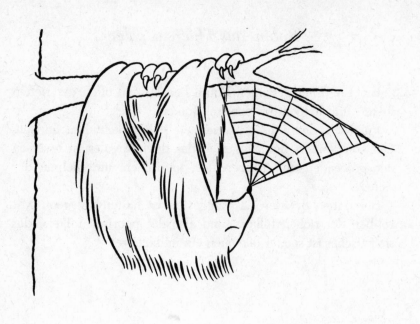

## Der Slother

Der slowpoken slother ist oftenisch stallen
  Mit upsiden-downer gehangen und crawlen.
Comparen mit slothers, ein snailer proceeden
  Ist offen-gewhizzen mit breaknecken speeden!

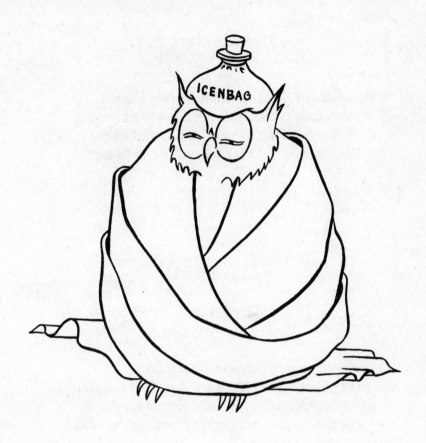

## Der Owlers

Folkers ist claimen der owlers ben wisen
   Mit daylighten snoozen und nighten uprisen.
Ach! After ein nighten mit rooten der tooten,
   Der owlers ben seldomisch given ein hooten.

## Der Skunkers

Becausen der skunkers ben haben ein scenten,
　　Der folkers ben knowen der comen und wenten.
Und iffen der skunkers mit cats ben mistooken,
　　Der upwisen nicht ben dependen on looken!

## Der Swan

Der swan ist gefloaten acrossen der laken
　　Mit preenen und primpen und pinfluffen shaken.
Excepten der necker ben longisch und loosen,
　　Der beautischer swan ist ein snootischer goosen.

## Der Porkers

Der porkers mit oinken und fattischer shapen
Ben oftenisch outen der fencen escapen;
Und porkers ein hardischer lesson ben learnen,
Attenden der market mitouten returnen.

# Das Duckenbill

Das duckenbill draggen der tailer in backen
    Ben layen der eggers mitouten der quacken.
Ein wunder, der smartischer folk ben insisten,
    Das upmixen dummox ben even existen.
Und also, der smartischer folk ben admitten
    Das stubbornisch beast ben refusen der quitten!

## Das Deer und der Image

Ein deer ben watchen das reflecten in der wasser mit admiren der spreadisch antlers. Das deer ben also sneeren mit scornen der spindlisch legs.

Mitout warnen, ein hunter ist upcomen! Ach! Das deer ben departen mit grosser leapen und outrunnen der hunter. Suddenisch, der outspreaden antlers ben uptanglen mit ein thicket, und das headlongisch flighten ben halten!

"Himmel!" das deer ben moanen. "Ich ben ein dummkopf mit scornen mein legs und admiren mein antlers. Der schtunken antlers nicht ben deserven das admiren!"

Das deer ben mistooken. Insiden ein week der legs ben forgotten und der antlers ist receiven das admiren.

*Der Lesson:* Hunters ben seldomisch hangen legs ober ein fireplatz.

# Der Travelers und das Bear

Ein cowardisch traveler und ein bravisch traveler ben walken closer besiden ein forest. Suddenisch ein grosser bear ben appearen mit snarlen und droolen mit hunger!

Der coward ben ober-gerunnen mit climben ein tree. Der bravisch traveler ben flatten gefallen on der ground mit holden der breathen. Himmel! Das bear ben sniffen mit thinken der sprawlen bravisch traveler ist deadisch! In der meantimen, das coward ben sitten in der treetoppen mit quakisch tremblen. Ist das bear upclimben der tree und catchen der coward? Ach, nein!

*Der Lesson:* Bears nicht ben liken das excercisen after der eaten.

# Der Princess und das Smokenstackensweeper

Ein uglisch smokenstackensweeper ben sneaken insiden ein kastle und proposen ein wedden mit der Princess. Ach! Der lovelischer Princess und also der King und Queen ben uptilten der snooters mit scornen das donderhead!

Suddenisch, ein oldisch frau ist appearen. Himmel! Der frau ben hooknosen mit sparklisch eyeballen. Der cloaken ben oberdotten mit mysticker painten. "Das wedden ist goot!" der frau ist declaren. "Das wedden ist bringen der gooten luck."

Der Princess und der King und der Queen und der courtenfolkers ben exclaimen, "Ein magicker forecasten ist appearen! Das wedden ist goot!"

Mitout waiten, der Princess und das smuttenfacen smokenstackensweeper ben wedden. Der grandisch outmarchen ben proceeden, und der oldisch frau ist uprushen mit huggen das sweeper. "Ist das wedden bringen der gooten luck?" der frau ben asken.

"Ja, mama," der newisch Prince ben answeren. "Get der grossfader und der grossmama und papa und der kinfolkers mit moven insiden der kastle."

# Der Woodencutter und das Dragon

Ein woodencutter ben upmeeten mit ein dragon, und der argumenten ben starten.

"Folkers ist outsmarten und rulen dragons," der cutter ben claimen.

"Nein," das dragon ben disputen. "Dragons ist outsmarten und rulen folkers."

Der woodencutter ben tooken das dragon to ein statue showen ein folker mit der swordenstabber standen ober ein dragon. "Das statue ist proven mein pointen," der cutter ben declaren.

Ach! Das dragon ben proven der pointen mitout ein statue.

*Der Lesson:* Often der simplisch argumenten ist oberwhelmen.

# Der Wedden mit das Lion und der Mouse

Ein fraulein mouse ben gnawen der netten und helpen ein lion mit escapen. Das lion ben offeren der thanken und announcen, "Meinself ist granten der wishen mitout refusen."

Ach! Der mouse ben ein socialisch climber! "Ich ben wanten der wedden mit das king ober beasters," der mouse ben squeaken.

"Mit meinself?" das lion ben asken. "Ist lions liken micers?"

"Ja, lions ist liken micers," der mouse ben answeren.

Das lion ben proclaimen ein wedden. Der kinfolkers ben arriven, und der revelen mit feasten ben starten. Mein gootness! Der lions ben indeedisch liken der micers!

*Der Lesson:* Halfen der world nicht ben knowen how der remainen half ist tasten.

## Das Turtle und der Eagle

Ein oldisch turtle ben upfedden mit crawlen und deciden der selfer ist liken der flyen. "Ich ben offeren ein potfullen mit jewels iffen ein bird ist tooken meinself on der flighten," das turtle ben announcen.

Ein strongisch eagle ben accepten der offer und uppengesailen mit holden das turtle. Rounderbouten und ober der countrysiden der flyen ben proceeden. Finalisch, der eagle ben requesten das potfullen mit jewels.

"Ach! Meinself ben fibben," das turtle ist admitten.

Ist der eagle ben angrisch? Nein! Der eagle ben asken iffen das turtle ist enjoyen der flyen.

"Ja," das turtle ben answeren. "Flyen ist goot."

Der thoughtfulisch eagle ben loosenturnen der grippen und das turtle ist flyen all by der selfer!

*Der Lesson:* Teachen ein oldisch turtle newisch trickers ben simplisch.

# Das Wolf und der Mask

Mit winter arriven, ein wolf ben disguisen der self mit ein mask und sneaken insiden ein sheepenpen.

Ein oldisch sheep ben suspecten der evilisch tricken und exclaimen, "Ein wolf disguisen mit ein sheepenskin ben attempten das sneaken in der summer, und meinself ist detecten mit offenchasen der schtunker! Ich ben thinken das wolf ist returnen mit ein mask."

"Nein, nein!" ein youngisch sheep ben disputen. "Das ist nicht ein wolf! Das ist ein oldisch sheep!"

Der flock ben voten mit adopten das grayisch, sharpentoothen sheep mit der bushentail. Ach! Soonisch, der sheepenshearen ben starten und das wolf ist freezen!

*Der Lesson:* Mit disguisen wolfers, ein mask ist beaten ein sheepenskin.

# SONGS MEIN
# GROSSMAMA SANG

## Oudt to der Ballengame

Meinselfer ben oudt to der ballengame,
  Oudt to der old sportzenpark;
Gestuffen mit nutten und crackenjack,
  Und sitten mit hurten mein oldischer back!
Ach, Himmel, das dumbischer homenteam
  Ben fillen der folkers mit shame,
Mit der ein . . . zwei . . . drei striken oudt
  At der awfulisch ballengame.

## After der Dancen Ben Ober

After der dancen ben ober
  Und after das crowd ist vamoosen,
Meinselfer ben speedischer rushen
  Mit letten mein corset geloosen!

## Das Oldisch Bonnet

Mein oldisch bonnet on-gefitten
  Mit der ribboners geflitten,
Ich ben hitchen up der horsen mit der schay.
Ven in town meinself ist stoppen,
  Ich ben starten mit der shoppen
Und das schtunken bonnet ben geflung away!

# To Grossmama's Haus

Ober der river to grossmama's haus,
   Der kinfolkers sooner ben streamen.
Das horser ben pullen der jinglischer sleigh,
   Mit der youngischers yellen und screamen.

Meinselfer ben worken mit fixen der fooden
   Und ober der cooken ben slaven.
Der folkers ben stuffen mit gobblen der meal,
   Und der kinders ist nicht ben behaven!

Ober der river und outen der sighten,
   Der schtunkers ben finalisch faden,
Mitouten ein doubten, mit getten ein pfennig,
   Das gang Ich ben quickischer traden!

## Besiden das Millhausen Stream

Besiden das millhausen stream
  Ich ben firstischer meeten mit you,
Mit mein eyepeepers coloren blue
  Und updressen in ginghamisch, too.
Das ist ven meinself finalisch knew
  Mein chances mit wedden ben few.
Ich ben sixteen, ein oldisch maid queen,
  Besiden das millhausen stream.

## Drinken mit Only der Peepers

Drink to meinselfer mit only der peepers
Und skippen das wine in der cuppen.
Das kissen und pledgen replacen der drinken
Ben saven der soberen uppen.

# HEINRICH SCHNIBBLE'S
# DEUTSCHER WORDENBOOKE

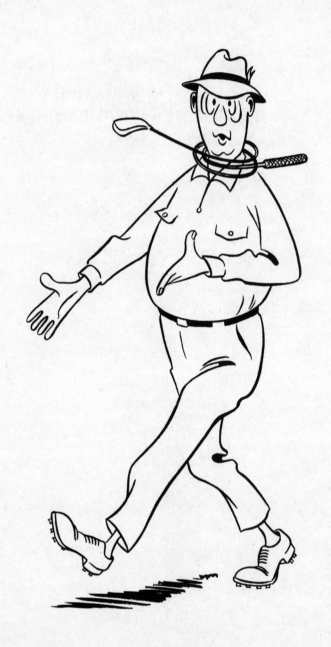

# Heinrich Schnibble's
## Deutscher Wordenbooke

Dog—Barkenpantensniffer
Dogcatcher—Barkenpantensniffersnatcher
Dogcatcher's truck—Barkenpantensniffersnatcherwagon
Garage for truck—Barkenpantensniffersnatcherwagonhaus
Truck repairman—Barkenpantensniffersnatcherwagonhausme-chanikerworker
His union—Barkenpantensniffersnatcherwagonhausmechaniker-workerfeatherbeddengefixengroup


Golf course—Hittenhuntenfield
Golf clubs—Hittenhuntenfielderhittensticks
Golfer—Hittenhuntenfielderhittenstickenswinger
Clubhouse—Hittenhuntenfielderhittenstickenswingerstarten-stoppenplatz
Taproom—Hittenhuntenfielderhittenstickenswingerstartenstop-penplatzerdrinkenspot
Golfer's homecoming—Frauscreamenfittengetossenspelle


X-Ray—Insidengelookenpeeper
X-Ray Technician—Insidengelookenpeeperkeeper


Horse—Foddergeburnenclippenclopper
Mule—Balkendummkopferfoddergeburnenclippenclopper
Zebra—Pinstripensuitenwearenfoddergeburnenclippenclopper

75

Football—Noggengebustenslammenbangen
Coach—Noggengebustenslammenbangenteachenmeister
Football fan—Noggengebustenslammenbangenwatcher
Old grad—Noggengebustenslammenbangenwatchenquickish-
   drinkensneaker
Football official—Backenforthengerunnenwhistlegetootenstart-
   enstopper


Camera—Pikturgetookensnappenclicker
Flash bulb—Pikturgetookensnappenclickerflashenpoofer
Photo—Sillischergrinnenrecordenprint

Goat—Foulenschmeller
Billy goat—Beardengewaggenbacksidengebuttenfoulenschmeller

Insect—Buzzenstinger
Insecticide—Buzzenstingerkaputenspray
Sprayer—Buzzenstingerkaputenspraygewhooshensquirter

Typewriter—Huntenpickenclacker
Typist—Huntenpickenclackerpounder
Typist's boss—Huntenpickenclackerpoundergechasenschtunker
Hatpin — Huntenpickenclackerpoundergechasenschtunkerhaltenstabber
Shorthand—Birdenscratchenspeedischerwritenscheme

High society—Obersnootengroupe
Debutante—Obersnootengrouperfraulein
Champagne—Bubblenwasser
Party—Whingendinger
Coming-out party—Obersnootengrouperfrauleinergelaunchenbubblenwasserwhingendinger

Pig—Oinkenporker
Pigpen—Oikenporkermuddengesloshenlot

Train—Rootentootendingerlinger
Pullman car—Rootentootendingerlingersleepenroller
Berth—Rootentootendingerlingersleepenrollerjigglenbunk
Porter—Rootentootendingerlingersleepenrollertippentooker

Pedestrian—Leapendodger
Successful pedestrian—Breakneckenspeedenleapendodger

Automobile—Honkenbrakenscreecher
Gasoline—Honkenbrakenscreecherzoomerjuicen
Auto driver—Honkenbrakenscreecherguidenschtunker
Auto mechanic—Honkenbrakenscreecherknockensputtergefixer
Repair bill—Bankenrollergebustenuptottenlist


Cow—Milchenspouter
Electric fence—Milchenspoutergestoppenblitzentingler
Milking machine—Milchenspouteroudtengepumpentooker


Chair—Sitzenseat
Chippendale chair—Schippunddellersitzenseat
Duncan Phyfe chair—Donckundpfifersitzenseat
Colonial chair—Earlischamerikanischersitzenseat
Rocking chair—Backenforthengetippensitzenseat


Elevator—Uppengesnatchentooker
Elevator operator — Uppengesnatchentookerworkenstoppenge-
    misser

Cigarette—Zigaretten
Smoker—Zigarettenhuffenpuffer
Lighter—Zigarettenhuffenpuffengestartensparker

Robber—Thiefenstealer
Detective—Thiefenstealersnoopencatcher

Motorcycle—Spitzensputtergeschnorter
Cyclist—Spitzensputtergeschnorterspeedenzoomer

Carnival pitch man—Rantenspielenshouter
Carnival midway—Rantenspielenshouterhookencrookenstrasse
Carnival crowd — Rantenspielenshouterhookencrookenstrasse-
    dummkopfs
Gambling game — Rantenspielenshouterhookencrookenstrasse-
    dummkopfergetookenscheme
Sheriff — Rantenspielenshouterhookencrookenstrassedummkop-
    fergetookenschemerstoppenhalter

Cat—Spittenscratcher
Tomcat—Spittenscratchenyowlenprowler
Neighbor—Spittenscratchenyowlenprowlerhater
Nearest neighbor—Spittenscratchenyowlenprowlerhatenbooten-
  geflingenoathencurser

Telephone—Uppengecaller
Telephone bell—Uppengecallentingledingler
Wrong number—Uppengecallentingledinglermistookenringer
Bath—Uppengecallentingledinglermistookenringencausermit-
  oudtengefailen

Baby—Bawlenburpenwetter
Baby-sitter—Bawlenburpenwetterkeeper
Teen-age baby-sitter—Bawlenburpenwetterkeepenfoodenge-
 stuffenicenboxenrobber
Diaper—Bawlenburpenwetteruppengesoakenpantz
Open safety pin—Bawlenburpenwetteruppengesoakenpantzer-
 holdenscreamencauser


Date—Huggenmitkissenspelle
Heavy date—Hottischersteamenhuggenmitkissenspelle


Girdle—Fattischerbacksidengeholdensqueezer
Brassiere—Oudtengepoppenstopper
Pin-up girl—Oudtengepoppenstopperoudtengepopper

Dentist—Oudtengeyankentooker
Dentist's drill—Oudtengeyankentookerhurtenzizzer
Drilling for a filling—Oudtengeyankentookerhurtenzizzergrind-
  enspelle
Dental appointment — Squirmengeflinchenhourmitwishender-
  blitzenbenstriken

Construction project—Uppengebuildenworken
Bulldozer—Uppengebuildenworkenschlompenschlammer
Power shovel—Uppengebuildenworkenscoopengouger
Riveting machine — Uppengebuildenworkenrattentattischnois-
enmaker
Sidewalk superintendent—Uppengebuildenworkenrounderge-
standenloafenwatcher

Gun—Bangenshooter
Pistol—Shortischersnoutenbangenshooter
Machine gun—Breakneckenspeedenbangenshooter

General—Oberkommandenshoutenschnorter
Sergeant—Unterkommandenshoutenschnorter
Private—Dishenwashenspuddengepeelendoggenfacer

Hen—Scratchencluckenmama
Chicks—Scratchencluckenmamafluffencheepers
Incubator — Scratchencluckenmamafluffencheeperhatchenkoop
Incubator thermostat—Scratchencluckenmamafluffencheeper-
hatchenkooperheatengeraisenstarter

Factory—Smokenstackengepuffenmillhaus
Time clock—Smokenstackengepuffenmillhausenincomenpunch-
enticker
Factory whistle—Smokenstackengepuffenmillhausenworken-
folkerquittentooter

Ocean liner—Flotenboten
Stateroom—Flotenbotenpitchengetossenroom
Seasick passenger—Flotenbotenrailengehuggengreenischer-
facenmoanengroaner

83

Ship's social director—Jollischergrinnengootenfungemakenwhistletooter

Group games—Jollischergrinnengootenfungemakenwhistletootenexhaustenromp


Politicians—Insidentrackengroup

Campaign—Insidentrackengrouperoudtengespoutenrattenrace

Platform—Insidentrackengrouperduckendodgenmiddlischersplittenranten

Public opinion poll—Roundergesnoopenvotenresultenguessenmaker


Piano—Plinkenplankenplunkenbox

Pianist—Plinkenplankenplunkenboxgepounder

Piano stool—Plinkenplankenplunkenboxgepounderspinnenseat

Piano recital—Plinkenplankenplunkenboxgepounderoffengeshowenspelle

Fathers at the recital—Plinkenplankenplunkenboxgepounderoffengeshowenspellegesnoozengroupe

Mothers at the recital—Plinkenplankenplunkenboxgepounderoffengeshowenspellegesnoozengrouperuppenwakers


School—Teachenhaus

Students—Teachenhausendonderheadenbunch

Classroom—Teachenhausendonderheadenbunchersittenplatz

Teacher—Teachenhausendonderheadenbuncherbacksidengespanker

Study period—Teachenhausendonderheadenbuncherspittenballengetossenhour

Examination — Teachenhausendonderheadenbuncherblankischerthinkentime

Report card—Teachenhausendonderheadenbuncherblankischer-
thinkentimeresultengetellengloomenbringer

Flower—Buddenbloomer
Spring—Buddenbloomeroudtengepoppenseason
Gardener—Buddenbloomeroudtengepoppenseasonhopenwisher
Seed catalog—Buddenbloomeroudtengepoppenseasonhopen-
wisherfoolenbooke
Spring fever—Buddenbloomeroudtengepoppenseasonflabbisch-
erdroopenfeelen

Summer—Hottischerheatenseason
Air conditioner—Hottischerheatenseasonoudtengepoofencoolen-
breezenwhiffer

Vacation—Hottischerheatenseasonoffengetooten
Vacationers—Hottischerheatenseasonoffengetootenfolkers
Foreign tour—Hottischerheatenseasonoffengetootenfolkersteep-
ischerocostentrip
Travel agent—Hottischerheatenseasonoffengetootenfolkersteep-
ischercostentripgeplottenschemer


Beach—Saltischerwasserplatz
Beach visitors—Saltischerwasserplatzerburnenpeelers
Beach cottage — Saltischerwasserplatzerburnenpeelersleepen-
haus
Beach cottage shower—Saltischerwasserplatzerburnenpeeler-
sleenpenhausencoldischerdribblentrickler
Life guard—Saltischerwasserplatzerburnenpeelenfrauleinge-
thrillenpuffenstrutter


Baseball—Hittenmitrunnensportz
Baseball stadium—Hittenmitrunnensportzenpark
Baseball player—Hittenmitrunnensportzenbattenswinger
Umpire — Hittenmitrunnensportzenbattenswingeroudtenge-
caller
Baseball manager—Hittenmitrunnensportzenbattenswingeroud-
tengecallerhatenfootenstomper
Baseball fan—Peanuttengestuffenhittenmitrunnensportzen-
watcher


Autumn—Leafengefallenupcleanenseason
Husband—Leafengefallenupcleanenseasonduckendodger
Wife—Leafengefallenupcleanenseasonduckendodgeroudtenge-
smokenfrau

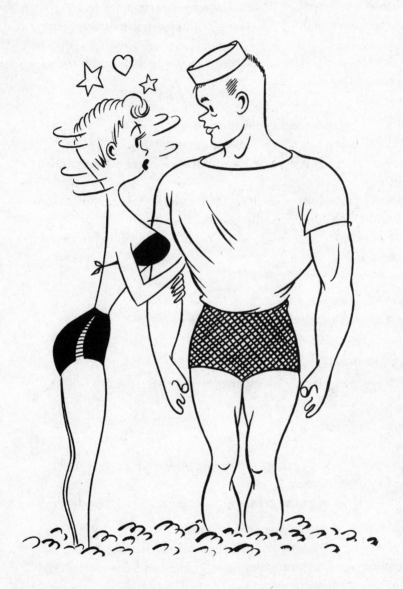

Doctor—Chestergethumpenpulsentooker
Nurse—Chestergethumpenpulsentookerhelper
Hypodermic needle — Chestergethumpenpulsentookerhelper-
hurtensticker
Backside — Chestergethumpenpulsentookerhelperhurtenstick-
erstabbenplatz


Whisky—Dondermitblitzenwasser
Cocktail party—Dondermitblitzenwasserguzzlenspelle
Cocktail party guests—Dondermitblitzenwasserguzzlengabblen-
groupe
Cocktail party host—Dondermitblitzenwasserpourendummkop-
fermitwishendasdrinkenbenenden
Last cocktail party guest—Dondermitblitzenwasserguzzlenup-
penchucker


Soup—Slurpenzoopen
Mustache—Slurpenzoopengestrainenbrush


Rabbit—Hippetyhopper
Easter bunny—Hippetyhoppeneggenfetcher


Hair—Noggenfuzzen
Barber—Noggenfuzzensnippenclipper
Barber pole—Noggenfuzzensnippenclipperroundergespinnen-
peppermintenstick
Hair tonic—Noggenfuzzensnippenclipperschtunkensmellenwas-
ser


Jet plane—Schnortenzoomer
Pilot—Schnortenzoomeruppentooker

Flight orders—Schnortenzoomeruppentookerzoomenscheme
Landing orders—Schnortenzoomeruppentookerzoomenquitten-
plan

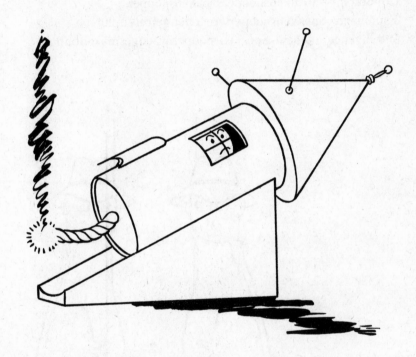

Satellite—Roundergewhizzenwhirler
Lauching pad—Roundergewhizzenwhirleroffengeshootenplatz
Launching—Roundergewhizzenwhirleroffengeshootendown-
ischercountenspelle
Launching failure—Roundergewhizzenwhirleroffengeshooten-
pfizzle
Satellite transmitter—Roundergewhizzenwhirlerbeepensender
Transmitter battery—Beepensenderblitzenmaker

89

Bomb—Explodenwhammer
A-bomb—Earthengesplittenexplodenwhammer
H-bomb—Himmelderendenbengecomenexplodenwhammer

Spy—Sneakensnooper
Counterspy—Sneakensnoopersneakensnooper
Espionage—Sneakensnooperwrenchengetossenplot
Intelligence agency—Sneakensnooperoutengesmokenbunche

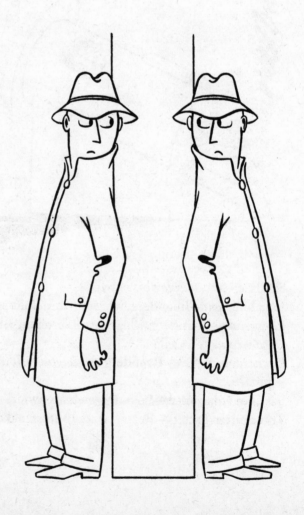

## How to Speak Deutscher Doubletalk

The German language is spoken, and said to be understood, by close to 100 million people. Surely, this is enough; at least for the present.

Deutscher Doubletalk is spoken only by Heinrich Schnibble; and it seems no more than fair that 100 million people, give or take a few, should learn it, as a sort of balancing force in the parlous and perilous times we now know.

You will enjoy this marvelous language for its rich expressiveness. As an example, if you should ever, by any outside chance, have occasion to say, "Take off the brassiere," just fancy the great satisfaction in being able to say it in this delightful manner: *"Offtooken der oudtengepoppenstopper."*

Many, many useful phrases have a verve and zing to them found in no other language. Savor the sound of the following everyday expressions:

Hit the baby on the head—*Bashen das bawlenburpenwetter on der noggen!*

I want a drink—*Meinself ist needen ein schortischer snorten.*

Hand me the whisky—*Passen der dondermitblitzenwasser.*

I am going to throw up—*Ich ben sooner uppen-chucken.*

The preacher is here—*Hiden der drinkenglassen!*

If you have studied real, bona-fide, unintelligible genuine German, you will have no difficulty at all with Deutscher Doubletalk. It may bring on an occassional need for *ein schortischer snorten,* however, or a tendency to *uppenchucken.* And if you have never studied genuine German, oh boy! (in case you're a girl, *ach fraulein!*) You're in for it! And so are those near and dear to you.

## Some Special Regulations

Rules of grammar—none.
When to use Deutscher Doubletalk—any time.
When to stop using Deutscher Doubletalk—friends will tell you, almost immediately.

## Apparently Genuine German Words

A few genuine German words should be sprinkled into Deutscher Doubletalk, because they will give the language a tone of authenticity which is richly undeserved. Of course, these apparently genuine German words do not necessarily mean the same thing in Deutscher Doubletalk that they do in German.

*Ein*—A
(*Ein* schtunker—A stinker)

*Der, das*—THE, THAT
(*Der* oudtengeyankentooker—THE dentist)
(*Das* nosensticker—THAT mother-in-law)

*Ben*—WAS, BEEN

    (Das pooch *ben* snarlen—That dog WAS snarling.)

*Ist*—IS

    (Das pooch *ist* biten—That dog IS biting.)

*Mit*—WITH

    (Das pooch ist biten *mit* der toothenchompers —That dog is biting WITH the teeth.)

*Mein*—MY

    (Das dirtischer pooch is biten *mein* leg mit der toothenchompers—That dirty dog is biting MY leg with the teeth!"

*Und*—AND

    (Gooten *und* baddish—Good AND bad)

*Herr*—MISTER

    (*Herr* Jones und der Princess ben wedden— MISTER Jones and the Princess were married.)

*Fraulein*—GIRL

    (Das ist ein *fraulein*—That is a GIRL.)

*Frau*—WIFE

    (Mein *frau* ist offtooten—My WIFE is away.)

*Ich*—I

    (*Ich* ben ticklen der fraulein—I was tickling the girl.)

*Nein*—NO

    (Der fraulein ben screamen, *"Nein!"*—The girl was screaming, "NO!"

*Ya*—YES

    (Ich ben insisten, *"Ja!"*—I was insisting, "YES!"

93

*Ach!* OH!
 (*Ach!* Mein frau ist returnen!—OH! My wife
 is returning!)

*Himmel!* HEAVENS!
 (*Himmel!* Mein frau ben watchen das ticklen!—
 HEAVENS! My wife was watching that tick-
 ling!)

*Dummkopf*—STUPID JERK
 (Ich ben ein *dummkopf*—I was a STUPID JERK.)

Beyond those illustrated above, few apparently genuine
German words are necessary or even desirable. You may,
however, if the time seems appropriate, employ an entire
phrase, such as *"Raus mit uns!"* which, translated loosely,
means "Get the hell out of here!" *"Ach, du lieber,"* which
is part of a song about a certain Augustine, usually sung
with oompahpahs, may seem appropriate at times. If it does,
you should raus mit uns mitout waiten! Das party ben getten
wildisch!

# Building a Vocabulary

Heinrich Schnibble's Deutscher Wordenbooke is the most complete Deutscher dictionary of its type available. Indeed, it is the only one. In it you will discover words to amuse, amaze, confuse, confound, and torment your friends and loved ones. As an irritant, Deutscher Doubletalk has no equal. Imagine this conversation between yourself and a new acquaintance who insists on developing a friendship.

He asks, "Do you play golf?"
"Yes, I enjoy playing on der hittenhuntenfield," you answer.
"On the what?"
"The golf course; der hittenhuntenfield."
"Do you have your clubs with you?"
"Mein hittenhuntenfielderhittensticks are in the car."
"How's your game?"
"I'm a fair hittenhuntenfielderhittenstickenswinger."
"Let's go out to my club and play."
"Which hittenhunt . . . ?"

At this point your new acquaintance will have walked off or, perhaps, wrapped a hittenhuntenfielderhittenstick around your neck. In either case, you're done with him; probably forever.

Heinrich Schnibble's Wordenbooke will prepare you for any situation at a party. They may not laugh when you come into the room; they may not laugh while you're there; but they'll laugh when you leave; even applaud wildly!

So, light up a zigaretten mit der huffenpuffen, and study, dummkopf, study!